EVERYBODY HAS A BODY

MAE GAN BAWB EI GORFF EI HUN

RILY

EVERYBODY HAS A BODY

MAE GAN BAWB EI GORFF EI HUN

Jon Burgerman

Everybody
Mae gan bawb

has a body.
ei gorff ei hun.

some are small.
mae rhai yn fach.

and some are tall.
a rhai yn dalach.

Some are weak,
Mae rhai yn wan

some are strong.
ac eraill yn gry'.

Some are narrow,
Mae rhai yn gul,

Some are hairy,
Mae rhai yn flewog

some are smooth.
rhai yn llyfn braf.

Some are clumsy,
Rhai yn drwsgl,

while others groove.
rhai yn dawnsio'n dda!

Some are soft,
Mae rhai yn feddal

some are rough.
a rhai yn arw.

Some are bendy,
Rhai yn hyblyg

and some are tough.
a rhai'n gryf fel tarw.

Some are old,
Mae rhai yn hen,

some are new.
mae rhai newydd i'w cael.

Bodies come in
Ac mae ein cyrff

every hue.
pob lliw dan haul.

YOU!

You're like nobody else!

Being yourself is beautiful!

You're the perfect you.

This book is dedicated
to You Jung

Mae'r llyfr hwn yn arbennig
i You Jung

Cyhoeddwyd gan Rily Publications Ltd 2020
Rily Publications Ltd, Blwch Post 257, Caerffili, CF83 9FL

Hawlfraint yr addasiad © Rily Publications Ltd 2020

Addasiad gan Llinos Dafydd

Cyhoeddwyd gyntaf yn Saesneg yn 2020 dan y teitl
Everybody Has A Body gan Oxford University Press,
Great Clarendon Street, Oxford OX2 6DP.

ISBN 978-1-84967-461-4

Hawlfraint y testun a'r darluniau © Jon Burgerman 2020

Gan mai stori ar ffurf mydr ac odl yw hon,
addasiad yn hytrach na chyfieithiad yw'r testun Cymraeg.
*As this is a story with rhyming text, the Welsh text
is an adaptation rather than a translation.*

Argraffwyd yn China

RILY

www.rily.co.uk

Helo

Mae'r llyfr hwn yn rhan o'r rhaglen Pori Drwy Stori.

Mae Pori Drwy Stori'n ysbrydoli cariad at lyfrau, straeon a rhigymau ac mae'n cefnogi plant i ddatblygu sgiliau siarad, gwrando a rhifedd. Mae eich plentyn yn cymryd rhan yn y rhaglen Pori Drwy Stori newydd ar gyfer plant y Meithrin. Gobeithiwn y byddwch chi a'ch plentyn yn mwynhau'r llyfr hwn a'r adnoddau hwyliog sy'n dod gydag ef.

Pan fydd eich plentyn yn y Derbyn, byddwch chi hefyd yn derbyn adnoddau Pori Drwy Stori hwyliog, rhad ac am ddim i'w rhannu a'u mwynhau drwy gydol y flwyddyn oddi wrth ysgol eich plentyn.

Caiff Pori Drwy Stori ei ddarparu gan BookTrust Cymru a'i ariannu gan Lywodraeth Cymru.

Hello

This book is part of the Pori Drwy Stori programme.

Pori Drwy Stori inspires a love of books, stories and rhymes and supports children to develop speaking, listening and numeracy skills. Your child is taking part in the new Pori Drwy Stori programme for children in Nursery. We hope that you and your child enjoy this book and the fun resources that come with it.

When your child is in Reception, you will also have fun, free Pori Drwy Stori resources to share and enjoy throughout the year from your child's school.

Pori Drwy Stori is delivered by BookTrust Cymru and funded by the Welsh Government.

Pori Drwy Stori

BookTrust Cymru
Getting children reading Ysgogi plant i ddarllen